Macmillan/McGraw-Hill

Libro interactivo del estudiante

TEXAS Tesoros de lectura

www.macmillanmh.com

 StudentWorks Plus
Libro interactivo del estudiante

 **OBSERVA**	**LEE**	**APRENDE**	**DESCUBRE**
• Vistazo preliminar a los conceptos y selecciones de la semana	• Lectura palabra por palabra	• Preguntas de comprensión • Actividades de investigación y aprendizaje digital • Actividades de gramática, ortografía y escritura	• Resúmenes y glosario

Conéctate **Actividades en Internet**
www.macmillanmh.com

• **Actividades interactivas** para la enseñanza guiada y la práctica

 IWB **Interactive White Board**

Pablo Bernasconi vive en Bariloche, Argentina, adonde disfruta de la naturaleza, en especial de los animales silvestres, a los que le encanta observar y pintar.

Escribió e ilustró cinco libros infantiles, que fueron traducidos a ocho idiomas: *El Brujo, el Horrible y el libro rojo de los hechizos, El Diario del Capitán Arsenio, Hipo no nada, El Zoo de Joaquín y Black Skin, white cow*. Además ilustró más de diez libros de autores de diferentes nacionalidades.

Obtuvo prestigiosos premios en América y Europa. Actualmente trabaja desde Bariloche para Alemania, EE.UU., Inglaterra, Australia, España, Costa Rica y Japón.

TEXAS Tesoros de lectura

Lectura/Artes del lenguaje

Autores

Elva Durán

Jana Echevarria

David J. Francis

Irma M. Olmedo

Gilberto D. Soto

Josefina V. Tinajero

Macmillan/McGraw-Hill

Contributors

Time Magazine, Accelerated Reader

Students with print disabilities may be eligible to obtain an accessible, audio version of the pupil edition of this textbook. Please call Recording for the Blind & Dyslexic at 1-800-221-4792 for complete information.

B

The McGraw·Hill Companies

 Macmillan/McGraw-Hill

Published by Macmillan/McGraw-Hill, of McGraw-Hill Education, a division of The McGraw-Hill Companies, Inc., Two Penn Plaza, New York, New York 10121.

Printed in the United States of America

ISBN: 978-0-02-207238-4
MHID: 0-02-207238-1

4 5 6 7 8 9 DOW 13 12 11 10

TEXAS
Tesoros de lectura

Lectura/Artes del lenguaje

Bienvenidos a
Tesoros de lectura

Imagina cómo sería ser un astronauta y viajar por el espacio, o aprender sobre las familias de diferentes animales, o leer sobre un loro que pierde su voz. Tu **libro del estudiante** contiene éstas y otras selecciones premiadas de ficción y no ficción.

Macmillan/McGraw-Hill

Unidad 4

Trabajo en equipo

¡En equipo!

LA GRAN PREGUNTA

TEMA: Compañeros

TEMA: Familias unidas

La gran pregunta

¿Cómo se trabaja en equipo?

Conéctate

Busca más información sobre el trabajo en equipo en **www.macmillanmh.com**.

La **gran** pregunta

¿Cómo se trabaja en equipo?

¿Has estado en un equipo alguna vez? ¿Qué clase de equipo era? ¿Cómo ayudaste al equipo?

Es posible que pienses que sólo hay equipos en los deportes. Pero los hay en todas partes. ¿Has hecho alguna vez algo con tu familia? Tu familia es una clase de equipo. Si trabajas en un proyecto con un amigo, los dos forman un equipo. Los equipos nos ayudan a hacer cosas que no podemos hacer solos. Hasta los animales forman equipos.

Actividades de investigación

Piensa en los equipos de los cuentos que estás leyendo. Luego, escoge una escena de uno de los cuentos, donde se muestre el trabajo en equipo. Representa la escena en equipo con un compañero o un grupo pequeño.

8

Anota lo que aprendes

Mientras lees, anota las diferentes clases de equipos. Usa el boletín en capas para anotar tus ideas sobre cómo los diferentes equipos trabajan juntos.

MODELOS DE PAPEL®
Ayudas de estudio

¿Qué pueden hacer los equipos?

Un equipo puede _____.

Un equipo puede _____.

Un equipo puede _____.

Un equipo puede _____.

Taller de investigación

Haz la investigación de la Unidad 4 con:

Guía de investigación
Sigue la guía paso a paso para completar tu proyecto de investigación.

Recursos en Internet
- Buscador por temas y otras herramientas de investigación
- Videos y excursiones virtuales
- Fotos y dibujos para presentaciones
- Artículos y recursos relacionados en Internet

Busca más información en **www.macmillanmh.com**.

TEXAS
Gente y lugares

Michael Johnson, atleta

Muchos dicen que Michael Johnson es el hombre más veloz del mundo. Se consagró campeón mundial nueve veces y ganó cuatro medallas olímpicas de oro. En las Olimpiadas, contribuyó a la victoria del equipo.

9

Compañeros

A platicar

¿Cómo se logra
trabajar en equipo?

Conéctate

Para saber más sobre
compañeros visita
www.macmillanmh.com.

Siete vacas siete

ilustraciones de Ronnie Rooney

Mis palabras

vivía

siete

padre

_____

siempre

mismo

Lee para descubrir
¿Qué hace Nora al levantarse y al acostarse?

Una niña llamada Nora **vivía** en la pradera. Nora tenía **siete** vacas, por lo que su **padre siempre** decía lo **mismo**: "Tenemos siete vacas así como siete días tiene la semana". Cada día, al levantarse y al acostarse a dormir, Nora contaba, de la uno a la siete, a sus vaquitas bonitas.

Domingo

Sábado

Jueves

Viernes

Comprensión

Género
Una ficción realista es una historia que puede suceder en la realidad.

Hacer preguntas
Hacer predicciones

Mientras lees, usa esta **tabla para hacer predicciones.**

Lo que predigo	Lo que sucede

Lee para descubrir

¿Dónde viven cada uno de los siete niños?

uno y siete

Gianni Rodari
ilustraciones de
Beatrice Alemagna

Una vez conocí
a **un** niño que era **7** niños.

Vivía en Roma, se llamaba Paolo
y su **padre** conducía un tranvía.

Pero vivía también en París, se
llamaba Jean y su padre trabajaba
en una fábrica de automóviles.

Pero vivía también en Berlín,
allí se llamaba Kurt,
y su padre era profesor de violonchelo.

Pero vivía también en Moscú,
se llamaba Yuri, como Gagarin,
y su padre era albañil
y estudiaba matemáticas.

Pero vivía también en Nueva York,
se llamaba Jimmy y su padre tenía
una gasolinera.
¿Cuántos he dicho? Cinco. Me faltan dos.

Uno se llamaba Chu, vivía en
Shangai y su padre era pescador.

El último se llamaba Pablo,
vivía en Buenos Aires
y su padre era pintor.

Paolo, Jean, Kurt,
Yuri, Jimmy, Chu, y
Pablo eran **siete**, pero
eran **siempre** el **mismo**
niño, que tenía ocho
años, sabía leer y
escribir y montaba
en bicicleta sin
apoyar las manos
en el manillar.

26

Paolo era moreno, Jean, rubio, y Kurt, castaño, pero eran el mismo niño.

Yuri tenía la piel blanca,
Chu, la piel amarilla,
pero eran el mismo niño.
Pablo iba al cine en español,
y Jimmy, en inglés.

28

Pero eran el mismo niño,
y reían en la misma lengua.

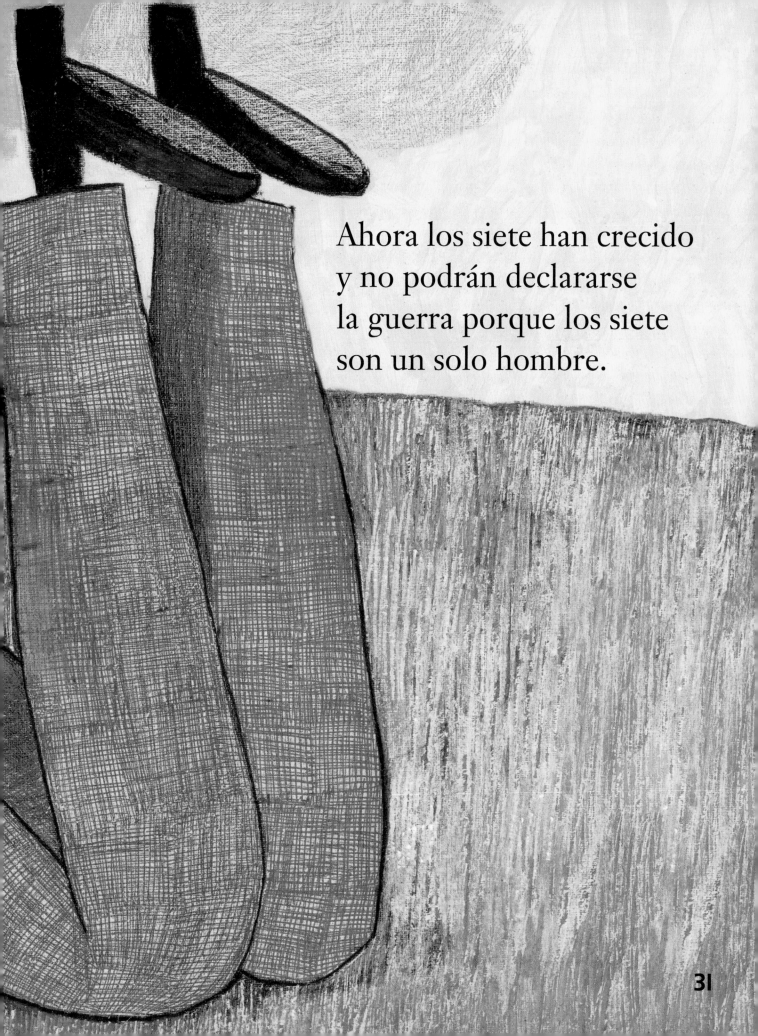

Ahora los siete han crecido
y no podrán declararse
la guerra porque los siete
son un solo hombre.

Un autor para un mundo mejor

Gianni Rodari fue maestro y periodista. Él amaba contar historias fantásticas y llenas de humor. Le gustaba enseñar a los niños a escribir sus propios cuentos. Decía que los niños, al jugar con las palabras, pueden crear nuevos y mejores mundos.

Otros libros de Gianni Rodari

 Busca más información sobre Gianni Rodari en **www.macmillanmh.com.**

✔ Propósito del autor

Rodari dice que todos podemos ser amigos. Di qué niño del cuento quieres conocer. Escribe por qué.

Pensamiento crítico

Volver a contar

Usa las tarjetas para volver a contar el cuento.

Tarjetas
Cuéntalo otra vez

Pensar y comparar

	Lo que predigo	Lo que sucede

1. ¿Cuál fue tu predicción de lo que pasaría al final del cuento? ¿Qué pasó?

2. ¿Conoces a niños como tú que vivan en otros países? ¿En qué se parecen a ti?

3. ¿En qué se parecen y en qué se diferencian los niños del cuento a ti?

4. ¿Qué lugar del cuento se parece más al lugar donde vive Nora, la niña de "Siete vacas siete"? ¿Por qué?

La vida en la colmena

¡Buzz, buzz, buzz! La casa de las abejas es la colmena. ¡Todas están tan ocupadas! Todas tienen un trabajo para ayudar en la colmena.

Las abejas pueden construir su colmena en un árbol.

34

Las abejas obreras
construyen las celdas
de cera en donde se
almacena la miel.

Muchas abejas **obreras** viven en la colmena.
Ellas producen la **miel**. Ellas ayudan a
mantener limpia la colmena. Y son las que
mantienen fresca la colmena batiendo
sus alas cuando hace mucho calor.

Todas las colmenas tienen una abeja **reina**.
¿Cuál es su trabajo? Ella pone los huevos.

En la colmena también hay abejas machos
o zánganos. El trabajo del zángano es ayudar
a la reina a fecundar los huevos.

La abeja reina con
sus zánganos en la colmena.

La abeja reina pone sus huevos en las celdas de cera del panal.

Nuevas abejas salen de sus huevos. Las abejas obreras las alimentan.

Con el tiempo, una colmena puede hacerse muy grande. ¡Buzz, buzz, buzz! Una gran colmena es un hogar con mucha actividad.

Pensamiento crítico

- ¿Cómo las abejas actúan como un equipo?
- ¿En qué se parece esta historia a *Uno y siete*?

Escritura

Verbos *ser* y *estar*

Los verbos ser y estar indican un estado y no una acción.

Escribe sobre estar en un equipo

Carlos escribió sobre estar en un equipo de *kickball*.

Juan y yo estamos

en el equipo de *kickball*.

Él es el capitán.

¡Somos un gran equipo!

Tu turno

¿Alguna vez estuviste
en un equipo o
trabajaste con otros?
Escribe sobre eso.
Cuenta qué hiciste
y cómo ayudaste.

Gramática y escritura

- Lee las oraciones de Carlos.
  ¿A quién se refieren los verbos estamos y
  somos? ¿A quién se refiere el verbo es?

- Revisa tus oraciones. ¿Escribiste sobre
  estar en un equipo? ¿Usaste los verbos ser
  y estar de manera correcta?

- Léele tus oraciones a un compañero o una
  compañera.

Familias unidas

A platicar

¿Qué hacen los
miembros de
la familia para
ayudarse unos a
otros?

Busca más información
sobre familias unidas en
www.macmillanmh.com.

41

Mis palabras

madre

volar, vuela

siente

fuerte

---

tremendo

veloz

Lee para descubrir

¿Qué ayuda a Pelusa a batear la pelota?

¡Tremendo batazo!

Le toca al osito Pelusa. Si su equipo gana, Pelusa jugará en la final.

¡Oh, no! ¡Le pegó mal!

Su **madre** lo anima:
—¡Vamos Pelusa! ¡Tú puedes hacer **volar** la pelota!

Pelusa se **siente** más **fuerte** que nunca. Se acomoda, levanta el bate y …¡pum! ¡**Tremendo** batazo! La pelota **vuela veloz** por el aire.

¡Qué alegría! Cada uno de sus amigos lo felicita.

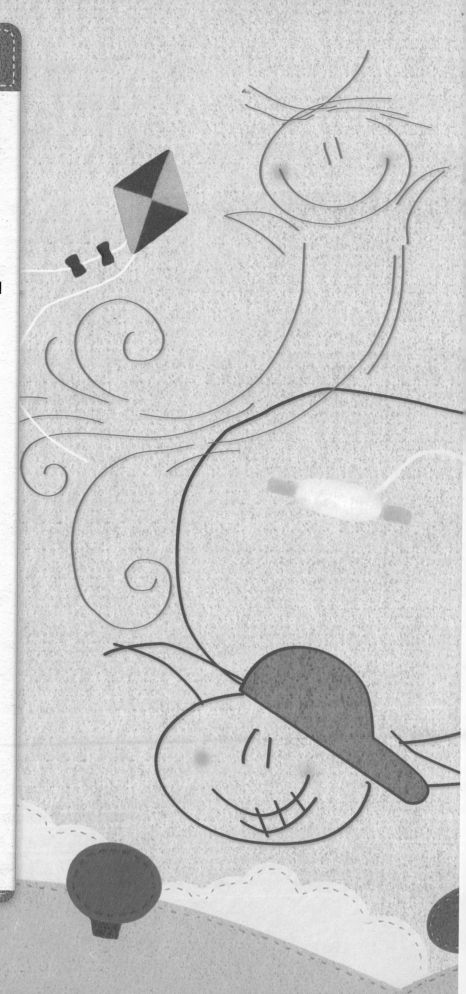

Comprensión

Género
Una **fantasía** es una historia que no puede suceder en la realidad.

✔ Hacer preguntas
Personaje y ambiente
Mientras lees, usa esta **tabla de personaje y ambiente**.

Ambiente	¿Qué hacen los personajes ahí?

Lee para descubrir
¿En qué se diferencian Tito y Ron?

Tito y Ron

el vientito y el ventarrón

Autora premiada

Rosa María Bedoya
ilustraciones de Vania Salcedo

Tito y Ron son hermanitos.
Su **madre** es la luna.
Su padre es el sol.

Uno es ágil y **veloz**.
El otro es **fuerte** y gritón.

Tito es un dulce vientito,
que te despeina un poquito.

Ron es un **tremendo** ventarrón,
que te despeina un montón.

Los dos son grandes amigos,
saben **volar** y cantar.

Tito y Ron son invisibles
no los puedes atrapar.

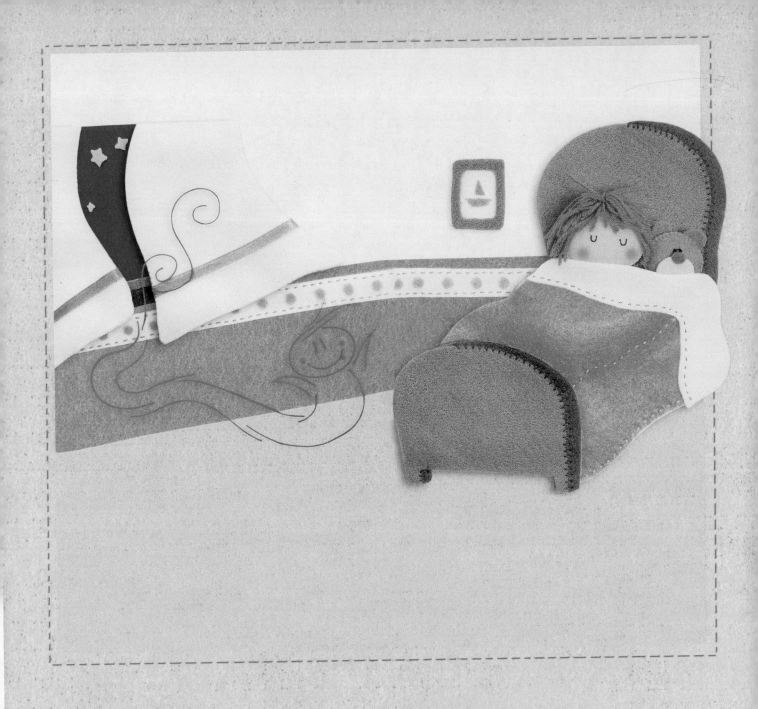

Cuando a tu cuarto entra Tito,
apenas se **siente** fresquito.

Si Ron entra a tu habitación
se siente como un ciclón.

A Tito le gusta bailar
con hojas, papeles y plumas.

Ron hace una ronda
con la arena, la sombrilla
y tu pelota.

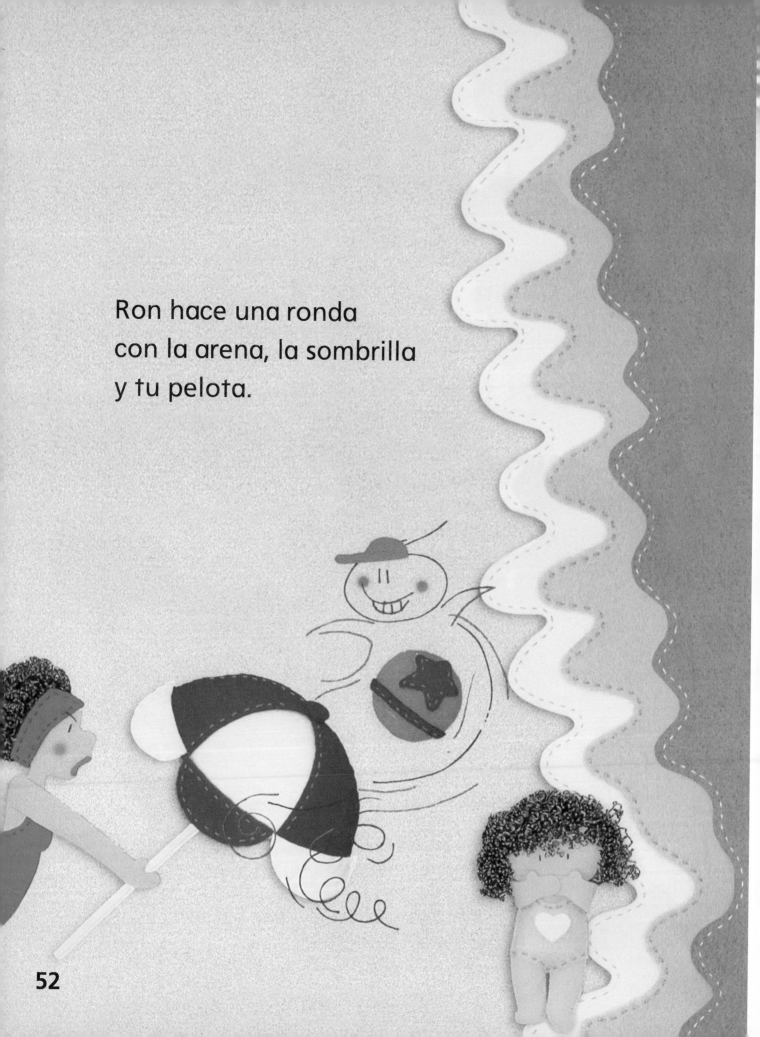

Tito le hace cosquillas
a la ropa del tendal.

Ron hace carcajear
a los árboles de la ciudad.

Tito juega con los pajaritos
con mucho cuidadito.

Ron le jala las orejas a mi perra
y no te cuento cómo quedan.

Tito se divierte
con barquitos de papel.

Ron juega al capitán
entre barcos y olas de verdad.

Cuando vas a volar cometa,
Tito corre contigo, la sopla y la eleva.

Ron se la lleva tan lejos
que de la cuerda nada queda.

Tito y Ron quieren jugar contigo.
Tito jugaría a los secretitos
¡¡¡PS, PS, PS, PSSSSS!!!
Y Ron te ayudaría a meter
¡¡¡GOOOOL!!!

Y din-dan, dan-don
aquí se acaba
la historia de Tito y Ron.

Pequeños escritores

A **Rosa María Bedoya** le gusta enseñar a los niños a escribir sus propios cuentos, pero de un modo divertido. Ella dice que quien quiere escribir tiene que intentarlo una y otra vez. Rosa María sabe que lo mejor es que los niños lean, así podrán descubrir cosas nuevas a través de los libros.

Busca más información sobre la autora en **www.macmillanmh.com.**

 Propósito de la autora

La autora escribió sobre las cosas que hacen dos hermanitos, Tito y Ron. Escribe sobre las cosas que le gusta hacer a alguien de tu familia.

 Pensamiento crítico

Volver a contar

Usa las tarjetas para
volver a contar el cuento.

Tarjetas
Cuéntalo otra vez

Pensar y comparar

Ambiente	¿Qué hacen los personajes ahí?

1. ¿Qué le gusta hacer a Tito?
   ¿Y a Ron?

2. ¿A quién te pareces más, a
   Tito o a Ron? ¿Por qué?

3. ¿Qué te gusta hacer con los miembros de tu
   familia? ¿Qué puedes aprender de ellos?

4. ¿Qué tienen en común los cuentos
   "¡Tremendo batazo!" y *Tito y Ron?*

Poesía

Género

La poesía describe de una manera especial el mundo que nos rodea.

Elementos literarios

Muchos poemas tienen rima. En algunos poemas la segunda línea de un verso rima con la cuarta línea.

Busca más información sobre familias unidas en **www.macmillanmh.com**

El secreto

Belén González

La banana es un pedacito de luna dorada,
la sonrisa amarilla del sol,
la barca de remo de algún ratoncito
y el teléfono móvil de un mono hablador.

Mi mamá me dice:
"Es sólo una banana".
Pero yo sé el secreto,
a mí no me engaña.

✔ Pensamiento crítico

¿Cómo ayudan a sus hijos la madre de
la niña del poema y la de Pelusa, el
osito de "¡Tremendo batazo!"?

Verbo *ir*
El verbo **ir** se conjuga de forma especial en el presente.

Escribe sobre equipos de familias

Sabrina escribió sobre una huerta.

Me gusta ir a la huerta de mi tío.

Siempre vamos por la tarde.

Yo voy con mi carrito.

Él va con una cesta.

Tu turno

Piensa en formas en las que los miembros de tu familia actúan como un equipo.

Escribe sobre una de ellas.

Explica cómo se ayudan unos a otros.

Gramática y escritura

- Lee las oraciones de Sabrina. Señala el verbo **ir** en cada oración. ¿A quién se refiere el verbo **vamos**?

- Revisa tus oraciones. ¿Escribiste sobre una forma en la que los miembros de tu familia trabajan en equipo? ¿Usaste el verbo **ir** en alguna oración?

- Léele tus oraciones a un miembro de tu familia.

¿Cómo podemos trabajar juntos para que nuestra comunidad sea mejor?

Busca más información sobre trabajar juntos en **www.macmillanmh.com**.

Ayudar a la comunidad

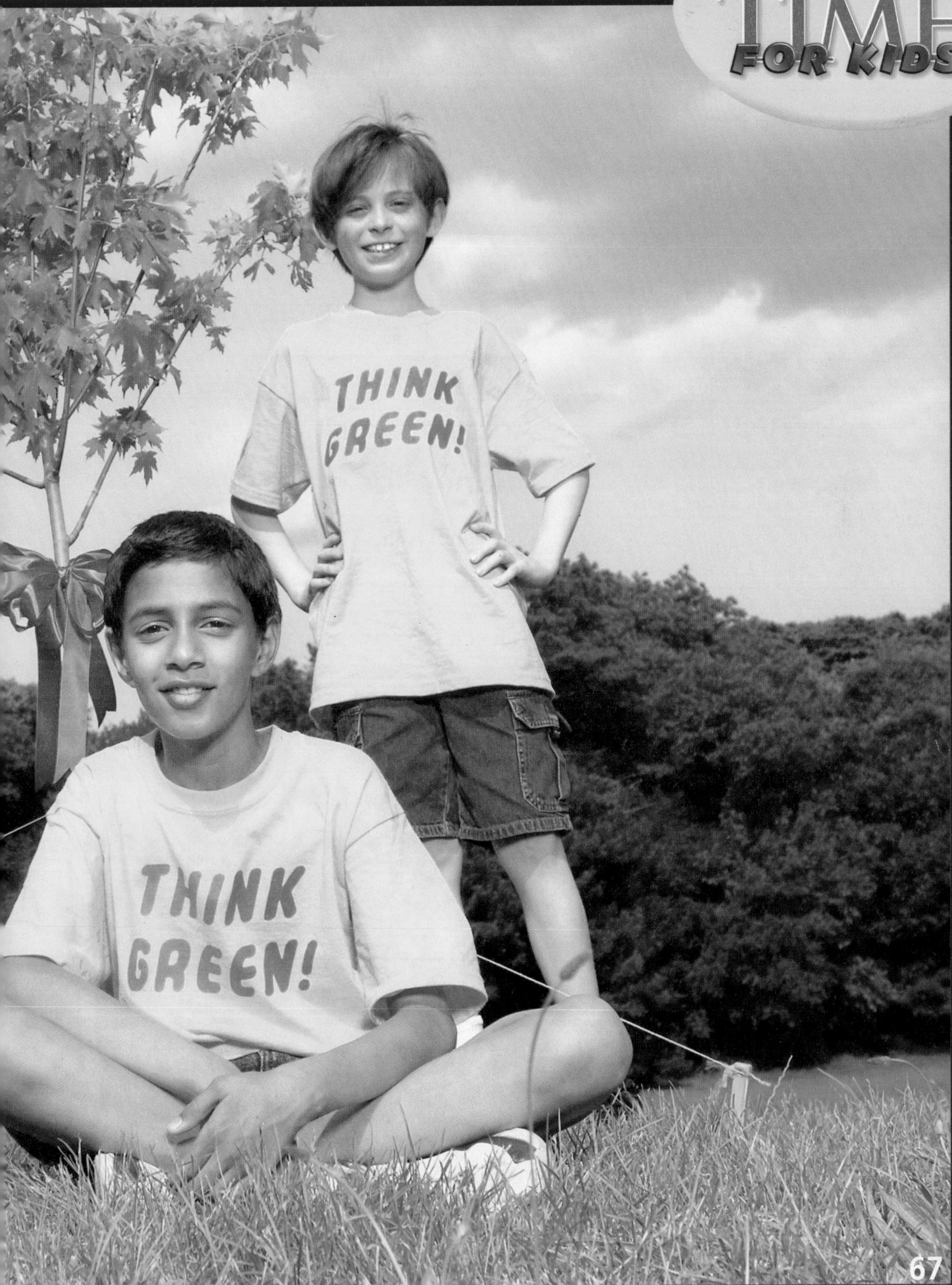
THINK GREEN!
THINK GREEN!

Cosecha de duraznos

⭐ **Mis palabras**

cambiar

mejor

moverse

mudarse

comprar

---

maduro

difícil

Lee para descubrir

¿Cómo se recogen los duraznos?

Aquí tenemos durazneros. Cuando los duraznos son pequeños, no son buenos. Luego empiezan a **cambiar**. Su sabor es mucho **mejor** cuando crecen.

68

Una vez que el durazno está **maduro**, ponemos manos a la obra. Es un trabajo **difícil**. Trabajamos en equipo. Hay que **moverse** de un árbol a otro recogiendo las frutas.

Cuando vayas a **comprar** un durazno, recuerda de dónde vino. Acuérdate de la gente que lo recogió para ti.

69

Comprensión

Género
Un artículo de
no ficción da
información sobre
gente y sucesos
reales.

Volver a leer
Volver a contar
Vuelve a contar lo
que pasa, usando
tus propias palabras.

César Chávez

César Chávez fue un gran hombre. En
su vida, ayudó a mucha gente. Ayudó
especialmente a la gente que recogía las
cosechas.

70

Los granjeros cosechan, entre otras cosas, uvas y duraznos.

Cuando el fruto está **maduro** es necesario recogerlo. Es entonces cuando los recolectores vienen a recoger las cosechas.

Tiempo atrás, estos recolectores tenían una vida **difícil**. Recogían las cosechas bajo el sol intenso durante todo el día. Los granjeros no les pagaban mucho.

Cuando ya no había más cosechas,
los trabajadores tenían que **mudarse**.

Tenían diferentes casas cada año.
Pero sus viviendas no eran buenas.
Vivían en chozas.

A César Chávez no le gustaba esto.
Quería que los recolectores tuvieran
una vida **mejor**. Pensó que si la gente
trabajaba unida, podían **cambiar** las
cosas.

La cosecha de uvas era una de las más
grandes. César Chávez les dijo a los
recolectores que no recogieran uvas.
Le pidió a la gente que no fuera a
comprar uvas.

Las uvas empezaron a pudrirse. Esto no les gustó a los granjeros.

Los trabajadores marcharon junto a César Chávez. Hablaron con los granjeros. Demandaron mejores sueldos y mejores viviendas.

César Chávez junto con recolectores de uvas.

Tardaron bastante, pero los granjeros hicieron cambios.

Hoy, los recolectores de cosechas tienen una vida mejor. Ganan más. Viven en casas mejores. Ellos agradecen a César Chávez por haberles ayudado a trabajar juntos.

 Pensamiento crítico

Cuenta lo que aprendiste

¿Qué aprendiste sobre la vida de César Chávez?

Pensar y comparar

1. ¿Por qué era difícil la vida de los recolectores de cosechas?

2. ¿Qué te gustaría cosechar? ¿Cómo crees que puedes hacerlo?

3. ¿Cómo ayudó César Chávez a los recolectores de cosechas?

4. ¿Qué podría haberle dicho César Chávez a la gente en "Cosecha de duraznos"?

Muestra lo que sabes

Piensa y busca
Halla la respuesta en más de un lugar.

Producto de California

California tiene muchas granjas. Gente de todas partes come lo producido en ellas. ¿Cómo llegan las cosechas a sitios lejanos y se mantienen frescas?

Antes, no era posible. Con la construcción de trenes, las cosechas se podían transportar rápidamente. Los vagones refrigerados conservaban los productos fríos y frescos.

Hoy, las cosechas viajan en camiones o aviones. Así, gente de otros estados puede comer uvas, frijoles o duraznos de California.

INSTRUCCIONES
Contesta las preguntas.

1 Inicialmente, ¿cómo llegaban las cosechas a todo el país?

(A) en globo aerostático

(B) en tren

(C) a caballo

2 ¿De qué manera los vagones refrigerados beneficiaron las cosechas?

(A) Ayudaron a que las cosechas crecieran más.

(B) Ayudaron a que las cosechas se conservaran frescas.

(C) Cambiaban el color de las cosechas.

3 ¿De qué tipo de alimentos trata el texto?

(A) pan

(B) frutas y vegetales

(C) queso

Escribe sobre alguien que admiras

Cristina escribió sobre una salvavidas.

Julia es la salvavidas de mi playa. Es una gran nadadora. Su trabajo es ayudar a salvar vidas. El año pasado salvó a un niño. A ella le gusta mucho su trabajo.

☀✔ Tu turno

Piensa en una persona que admires. Puede ser una persona que conozcas muy bien. Puede ser una persona de la que hayas escuchado hablar. Escribe un informe sobre esa persona.

Control de escritura

☑ Di por qué la persona que admiras es especial.

☑ Escribe claramente de manera tal que quienes lean tu informe te entiendan.

☑ Revisa tu informe para corregir errores.

Juntos es mejor

¿Cómo se animan y ayudan unos a otros los miembros de un equipo?

Busca más información sobre trabajar en equipo en **www.macmillanmh.com.**

ilustraciones de Valeria Cis

Mis palabras

- nieve
- frío
- ríen

- montaña
- arriba

Lee para descubrir
¿Cómo se divierten los niños del cuento?

84

En un poblado en la **montaña** viven cinco niños. Allá **arriba** hay mucha **nieve** y hace **frío**.

A los niños les gusta mucho la música. Cada uno toca algo. Un día que estaban aburridos se juntaron y formaron una banda.

Antes, cada uno tocaba bien por separado. Pero ahora que están juntos, lo hacen mucho mejor. Juntos hacen una bella música.

Nina, Tomás, Francisco, Isa y Flor no se aburren más.

Ahora se **ríen** divertidos.

85

Género

Una **fantasía** es una historia que no puede suceder en la realidad.

Visualizar

Problema y solución

Mientras lees, usa este **diagrama de problema y solución**.

Problema

↓

Pasos para la solución

↓

Solución

Lee para descubrir

¿Qué hacen los personajes para llegar a la montaña?

La Gran Montaña

José Antonio Delgado

ilustraciones de Carmen Salvador

Elefante estaba leyendo un cuento cuando vio un dibujo de una gran **montaña** nevada. Elefante nunca había visto la **nieve**.

"Cómo me gustaría estar allí", pensó.

"¿Se podrá ver mi casa desde allá **arriba**? ¿Podré tocar el sol y la luna?" Esa noche soñó con montañas.

89

Al día siguiente, Elefante le contó a Camello su sueño. Camello se puso muy contento porque él también había soñado con esa montaña.

Elefante y Camello jugaron a subir a la Gran Montaña.
—¿Qué hacen éstos? —preguntó la vieja Tortuga.

—Queremos subir a la Gran Montaña —contestaron Elefante y Camello. —Eso es imposible —se rió la Tortuga—. Lo digo yo, que he vivido muchos años y todo lo sé.

Esa tarde en el cumpleaños de Yak, Elefante y Camello contaron su sueño.

—¡Yo también quiero ir! —dijo Yak.

—La Gran Montaña es la más alta del mundo —dijo Papá Yak muy serio—. Se puede llegar a la cumbre pero no es nada fácil. Para subir tan alto hay que prepararse muy bien. Mejor pensar en otra cosa.

Pero no podían dejar de soñar con la Gran Montaña.

Elefante, Camello y Yak jugaron a que subían hasta la cumbre. Se divertían tanto que Canguro quiso jugar con ellos.

Después de mucho correr y saltar, se sentaron detrás de un árbol a descansar.

—¿Quién tendrá la razón, Tortuga o Papá Yak? —preguntó Elefante.

—Seguro que mi papá —dijo Yak.

Entonces Elefante, Camello, Yak y Canguro decidieron que ellos irían a ver cómo se veía el mundo desde lo más alto de esa montaña.

Los cuatro amigos comenzaron
a prepararse.

Saltaron, corrieron, leyeron, treparon árboles, hicieron acrobacias, bailaron, practicaron nudos y levantaron pesas.

Entre los cachivaches que guardaba Papá Yak, consiguieron lo que necesitaban.

Abuela Canguro, que era una gran tejedora y siempre se enteraba de todo lo que pensaban, les tejió unos abrigos muy gruesos.

—Los necesitarán allá arriba. Dicen que la nieve es una cosa muy fría —dijo.

Por fin llegó el día. Los cuatro amigos salieron hacia la Gran Montaña.

100

Caminaron y caminaron, hasta que llegaron a un sitio donde todo era diferente a lo que ellos conocían.

—¡Qué **frío** hace! —dijo Camello temblando.

—No entiendo lo que dicen —murmuró Canguro.

—¿Estarán hablando de nosotros? —dijo Elefante un poco nervioso.

Yak los tranquilizó: —Son distintos, pero se **ríen** igual que nosotros.

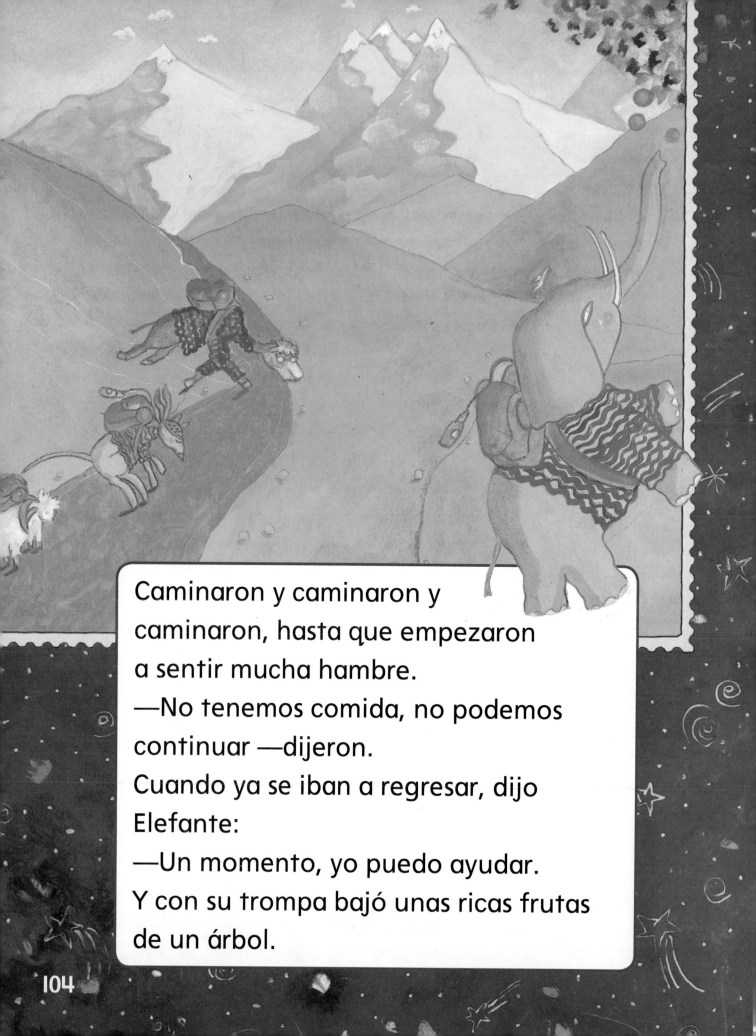

Caminaron y caminaron y caminaron, hasta que empezaron a sentir mucha hambre.

—No tenemos comida, no podemos continuar —dijeron.

Cuando ya se iban a regresar, dijo Elefante:

—Un momento, yo puedo ayudar.

Y con su trompa bajó unas ricas frutas de un árbol.

Caminaron y caminaron y caminaron, hasta que empezaron a sentir mucha sed.

—No tenemos agua, no podemos continuar —dijeron.

Cuando ya se iban a regresar, dijo Camello:

—Un momento, yo puedo ayudar. Y olfateando con su suave nariz, encontró un refrescante arroyo.

Caminaron y caminaron y caminaron, hasta que empezaron a sentirse muy cansados.

—No tenemos fuerzas, no podemos continuar —dijeron.

Cuando ya se iban a regresar, dijo Yak:

—Un momento, yo puedo ayudar.

Y cargó sobre su fuerte espalda las mochilas de los demás.

Caminaron y caminaron y caminaron, hasta que la subida se volvió muy empinada.

—Nos estamos resbalando, no podemos continuar —dijeron.

Cuando ya se iban a regresar, dijo Canguro:

—Un momento, yo puedo ayudar.

Y con un gran salto logró llegar más arriba, y con la cuerda ayudó a los demás a subir.

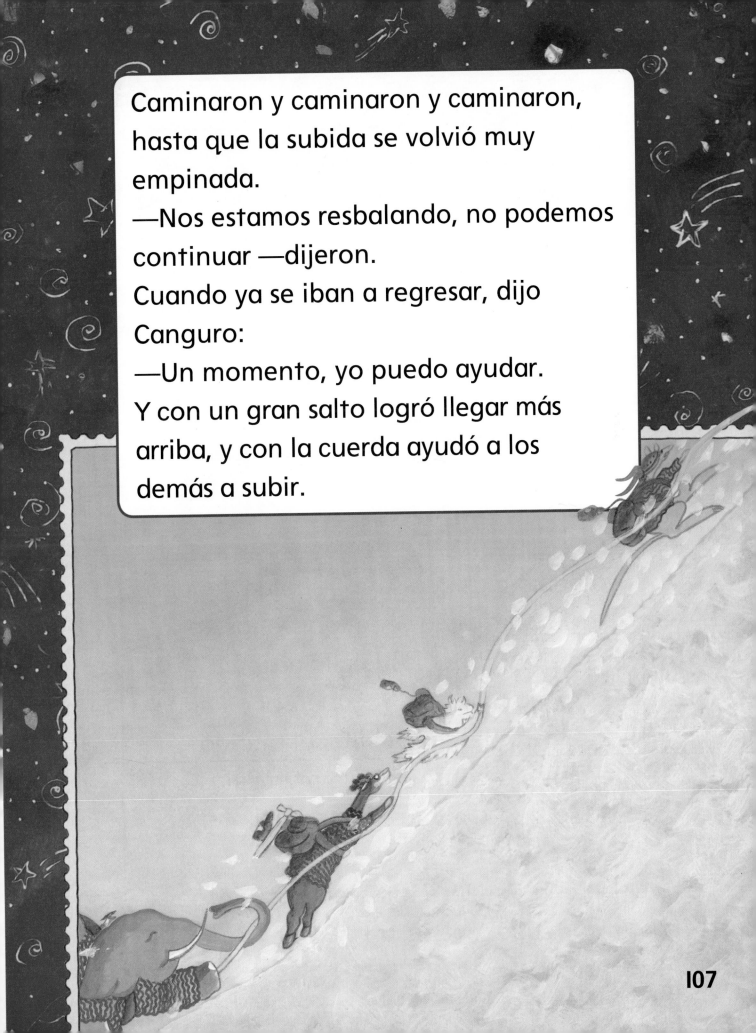

No había más que subir. Habían llegado
a la cumbre de la Gran Montaña. No
vieron sus casas desde allá arriba.
Tampoco pudieron tocar el sol o la
luna. Pero desde la cima del mundo
contemplaron un paisaje maravilloso.
—¡Me siento el más grande del mundo!
—gritó Elefante.
—¡Yo igual! Pero también me siento
muy pequeño —susurró Camello.

Los cuatro amigos se abrazaron muy fuerte. ¡Juntos lo habían logrado! Era casi como tocar el sol y la luna.

Aventuras juntos

 José Antonio Delgado nació en Caracas, Venezuela. Además de escribir cuentos infantiles, lleva más de 20 años escalando montañas. Entre las que ha escalado se encuentra la más alta del mundo, el Monte Everest.

Carmen Salvador es arquitecta, pintora, escultora e ilustradora de libros para niños. Vive en Caracas y tiene tres hijas.

Otro libro de Carmen Salvador

 Busca más información sobre José Antonio Delgado y Carmen Salvador en **www.macmillanmh.com.**

✔ Propósito del autor

José Antonio Delgado escribió sobre cómo lo difícil se vuelve fácil cuando trabajamos en equipo. Escribe sobre una experiencia tuya de trabajo en equipo.

Pensamiento crítico

Volver a contar

Usa las tarjetas para
volver a contar el cuento.

Tarjetas
Cuéntalo otra vez

Pensar y comparar

1. ¿Qué quieren hacer
   Elefante, Camello,
   Canguro y Yak? ¿Cómo
   lo logran?

2. ¿Cómo te sientes cuando tratas de hacer
   algo difícil? ¿Cómo logras hacerlo?

3. ¿De qué manera Elefante, Camello,
   Canguro y Yak actúan como amigos?

4. ¿Qué tienen en común los personajes
   de *La Gran Montaña* y los de "Juntos
   suena mejor"?

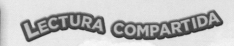

Género
En un texto de
no ficción se da
información sobre
un tema.

Elementos del texto
Una tabla muestra
información en una
forma organizada.

Palabras clave
inventaron
máquina
avión

Busca más información
sobre trabajar juntos en
www.macmillanmh.com

Los hermanos Wright

Wilbur y Orville Wright
eran hermanos. La gente
los llamaba Will y Orv.

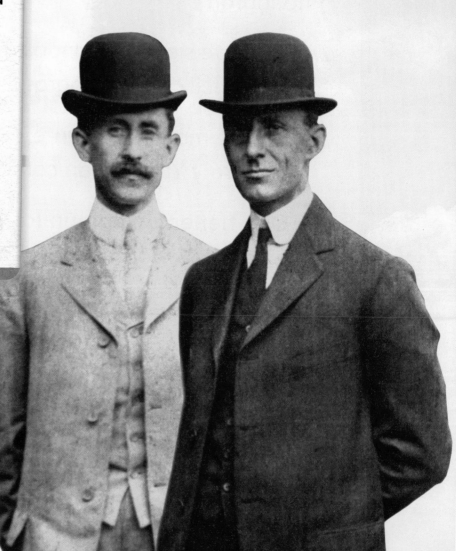

WRIGHT CYCLE CO.

Tanto a Will como a Orv les gustaba arreglar cosas. También les gustaba montarse en cosas.

A Will y a Orv les gustaban mucho las bicicletas. Ellos tenían una tienda de bicicletas.

Will y Orv tenían ruedas, pero ellos
querían alas. Querían volar.

En aquel tiempo no había aviones, así
que Will y Orv se pusieron a trabajar.
Primero, hicieron un planeador. Un
planeador es como un papalote en el
que una persona se puede montar.

A Will y Orv les gustaba el planeador. Pero ellos querían hacer más. Ellos vieron cómo los pájaros usaban sus alas y colas como ayuda para subir, bajar y girar.

Will y Orv se pusieron a trabajar. **Inventaron** una **máquina**. Ese fue el primer **avión**. Ese avión tenía hélices y un motor. Éstos le ayudaban a moverse como un pájaro.

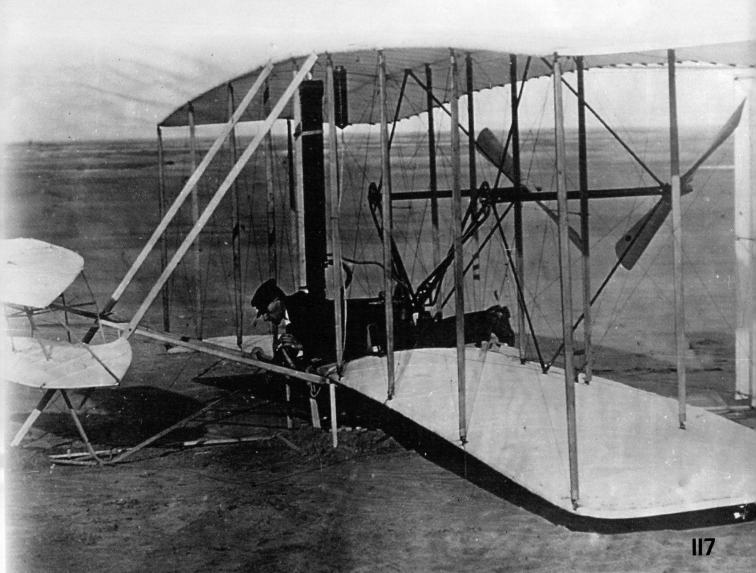

En un día frío de 1903, Will y Orv
probaron el avión. ¡Se elevó!, y se
mantuvo arriba por 12 segundos. No
fue mucho, pero mostró que el avión
funcionaba.

Es así como, hoy en día, podemos llegar de un lugar a otro. Podemos ir por tierra, por agua, o muy alto, por el aire.

Gracias a Wilbur y Orville Wright, podemos volar.

Cómo vamos de un lugar a otro

Tierra	Mar	Aire
auto	velero	avión
tren	barco	helicóptero

⭐ **Pensamiento crítico**

- ¿Cómo los hermanos Wright se comportaron como un equipo?
- ¿De qué manera los personajes de *La Gran Montaña* se parecen a los hermanos Wright?

Escritura

El adverbio

Un **adverbio** es una palabra que modifica al verbo. Algunos adverbios terminan en *-mente*.

Anita escribió sobre animales que son amigos.

El ratón y el pájaro eran amigos. Se ayudaban mucho el uno al otro.

Un día, el ratón tenía hambre.

El pájaro amablemente le dio parte de su comida. El ratón la tomó deprisa y le dio las gracias al pájaro.

Tu turno

Escribe un cuento sobre amigos.

Piensa en quiénes son los amigos de tu cuento.

Di cómo se ayudan unos a otros.

Asegúrate de que el cuento tenga principio, desarrollo y final.

Gramática y escritura

- Lee el cuento de Anita.
  Vuelve a contar el principio, el desarrollo y el final. Señala los adverbios.

- Revisa tu cuento. ¿Tiene un principio, un desarrollo y un final? ¿Usaste los adverbios de manera correcta?

- Léele tu cuento a un compañero o una compañera.

Equipos de animales

A platicar

¿Crees que los animales se ayudan unos a otros? ¿Cómo?

Conéctate

Busca más información sobre equipos de animales en **www.macmillanmh.com**.

12

Mis palabras

contestó

vio

cielo

comerse

érase

gran

Lee para descubrir

¿Por qué se pelean
el puma y el jabalí?

124

El puma y el jabalí

Érase un verano muy caluroso. El puma y el jabalí llegaron a la orilla de un estanque.

—¡Yo bebo primero! —dijo el puma.
—¡No, yo llegué primero! —**contestó** el jabalí.

Y empezó una **gran** lucha.

De repente, el puma **vio** aves de rapiña en el **cielo**.
—¡Esperan para **comerse** al perdedor! —dijo.

—Entonces, más vale ser amigos y no la comida de los enemigos —dijo el jabalí.

Comprensión

Género
Un **cuento folclórico** es una historia que ha sido contada a través de los años.

Estructura del texto
Volver a contar
Mientras lees, usa esta **tabla para volver a contar.**

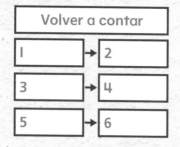

Volver a contar	
1 →	2
3 →	4
5 →	6

Lee para descubrir
¿Qué personaje del cuento ayuda al gallito mandón?

El gallo de bodas

Lucía M. González
ilustraciones de Lulu Delacre

Autora premiada

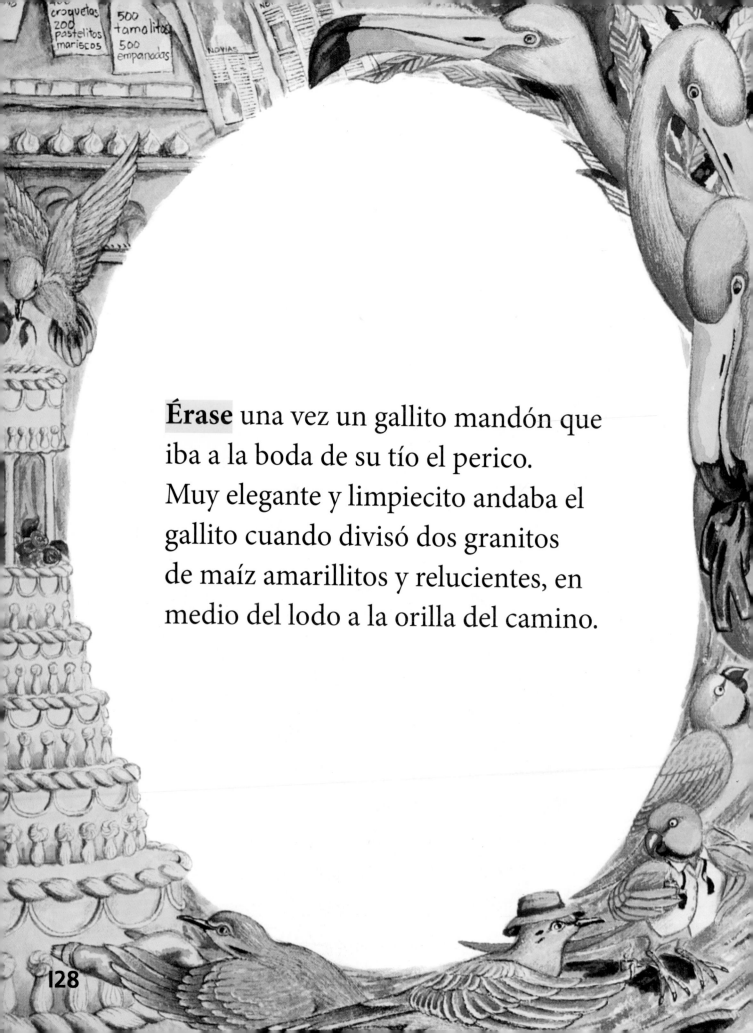

Érase una vez un gallito mandón que iba a la boda de su tío el perico. Muy elegante y limpiecito andaba el gallito cuando divisó dos granitos de maíz amarillitos y relucientes, en medio del lodo a la orilla del camino.

El gallito se detuvo y pensó:
—¿Pico o no pico?
Si pico me ensucio el pico
y no podré ir a la boda
de mi tío Perico.
Sin pensarlo dos veces picó y se
ensució el pico.

Más adelante **vio** la yerba que
había al otro lado del camino.
Entonces le dijo a la yerba:
—Yerba, límpiame el pico
para ir a la boda
de mi tío Perico.
Pero la yerba le **contestó**:
—¡No te lo limpiaré!

El gallito entonces fue a donde
estaba el chivo y le ordenó:
—Chivo, cómete la yerba
que no me quiere limpiar el pico
para ir a la boda
de mi tío Perico.
Pero el chivo, al que no le gustaba
que lo mandaran, contestó:
—¡No me la comeré!

El gallito camina que te camina se
encontró al palo y le mandó:
—Palo, pégale al chivo
que no quiere **comerse** la yerba
que no me quiere limpiar el pico
para ir a la boda
de mi tío Perico.
Pero el palo le contestó:
—¡No le pegaré!

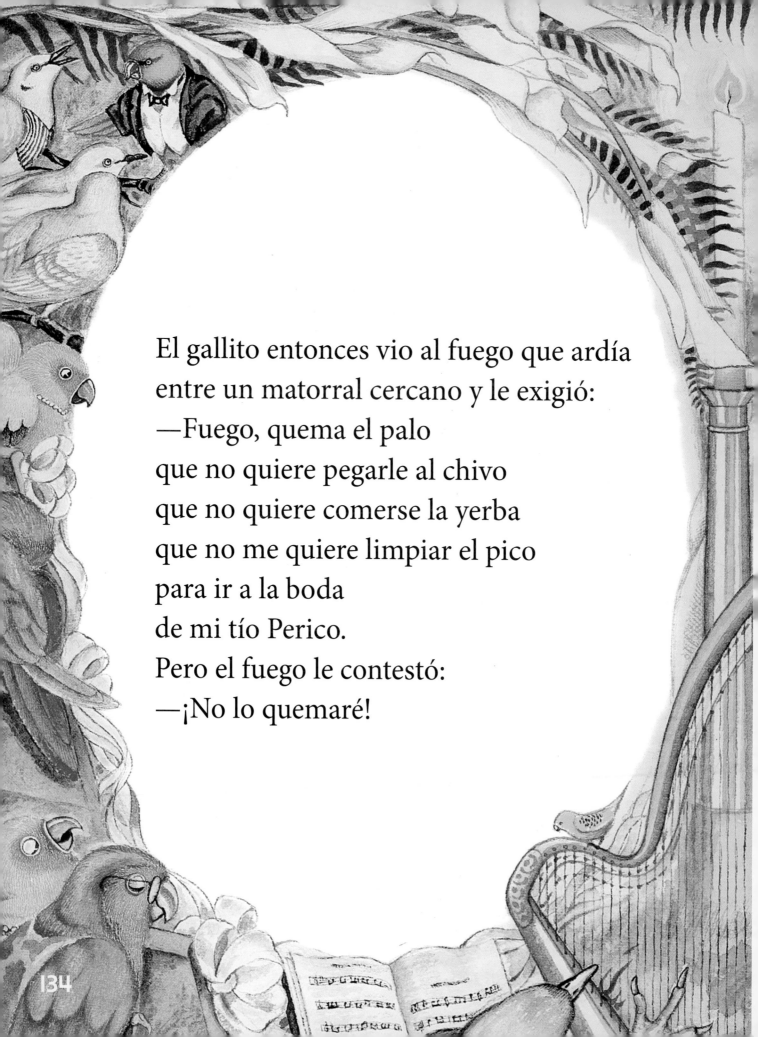

El gallito entonces vio al fuego que ardía
entre un matorral cercano y le exigió:
—Fuego, quema el palo
que no quiere pegarle al chivo
que no quiere comerse la yerba
que no me quiere limpiar el pico
para ir a la boda
de mi tío Perico.
Pero el fuego le contestó:
—¡No lo quemaré!

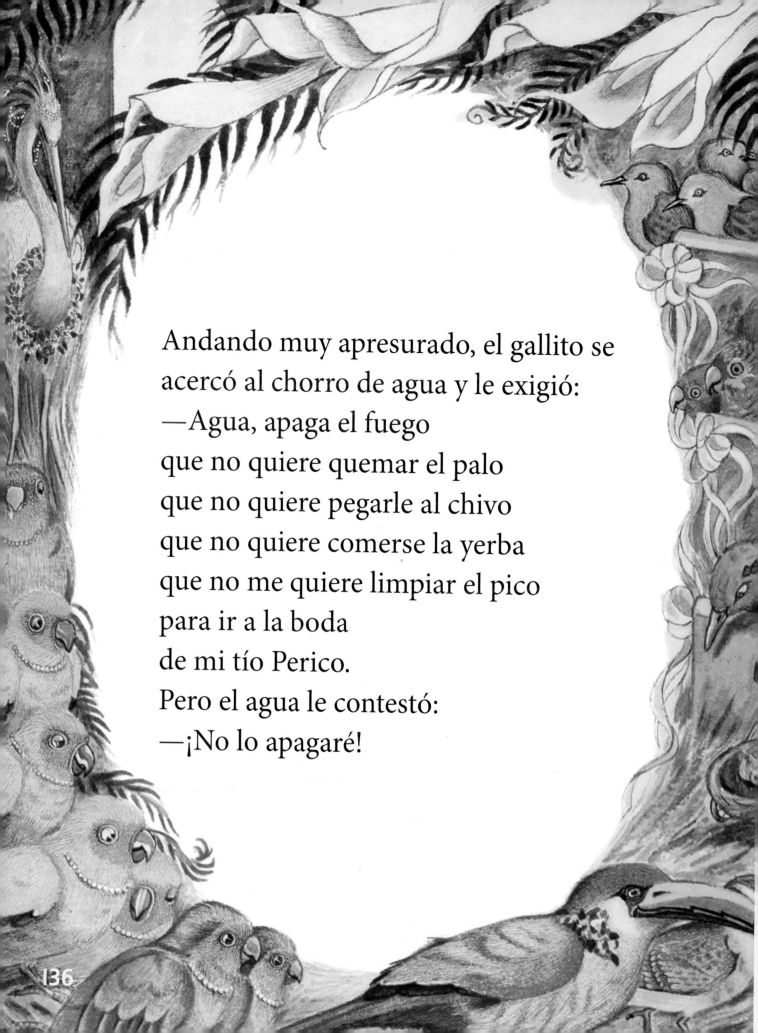

Andando muy apresurado, el gallito se
acercó al chorro de agua y le exigió:
—Agua, apaga el fuego
que no quiere quemar el palo
que no quiere pegarle al chivo
que no quiere comerse la yerba
que no me quiere limpiar el pico
para ir a la boda
de mi tío Perico.
Pero el agua le contestó:
—¡No lo apagaré!

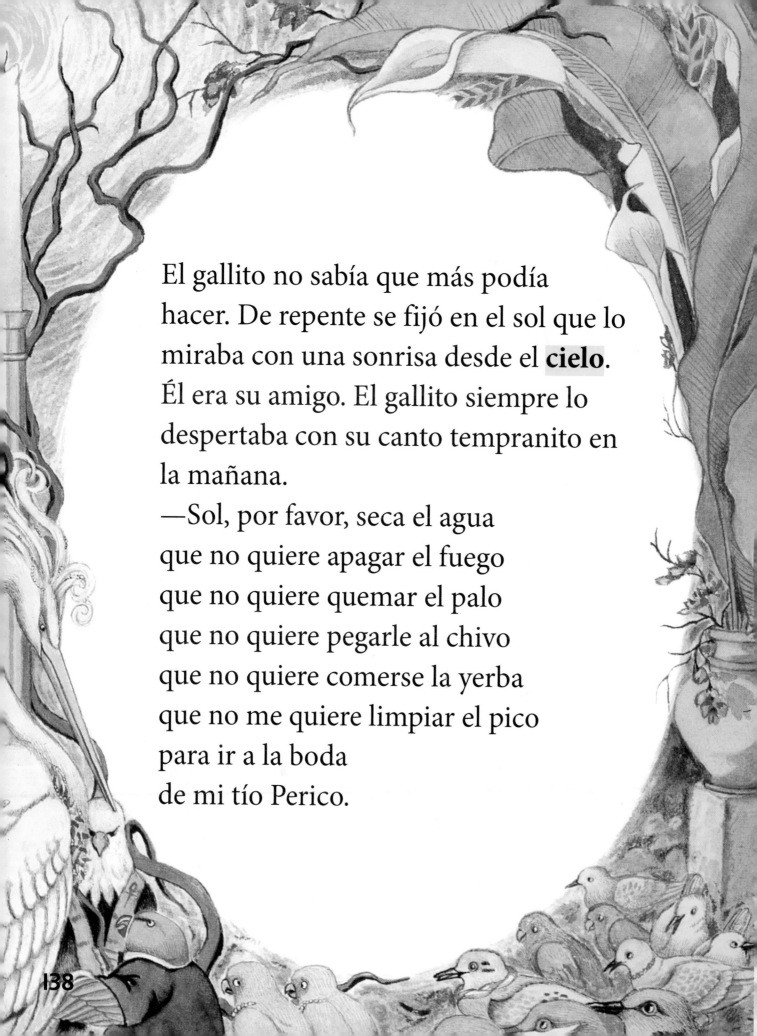

El gallito no sabía que más podía
hacer. De repente se fijó en el sol que lo
miraba con una sonrisa desde el **cielo**.
Él era su amigo. El gallito siempre lo
despertaba con su canto tempranito en
la mañana.

—Sol, por favor, seca el agua
que no quiere apagar el fuego
que no quiere quemar el palo
que no quiere pegarle al chivo
que no quiere comerse la yerba
que no me quiere limpiar el pico
para ir a la boda
de mi tío Perico.

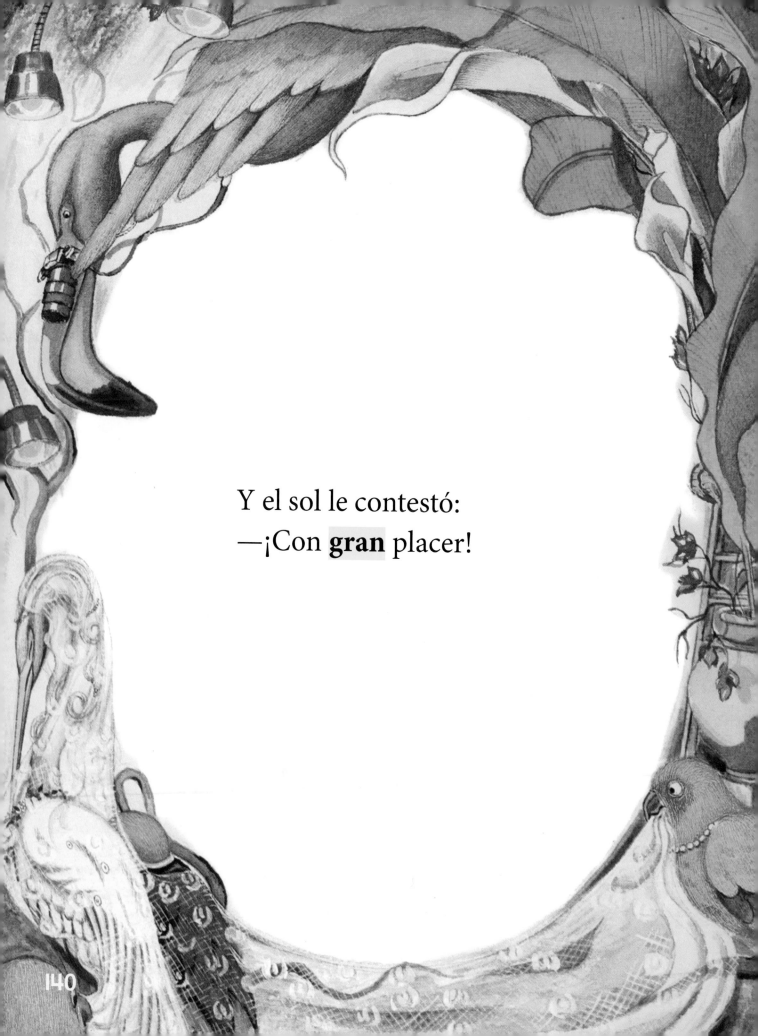

Y el sol le contestó:

—¡Con **gran** placer!

Al escuchar al sol, el agua con temor dijo:

—Perdón, yo apagaré el fuego.

Y el fuego dijo:

—Perdón, yo quemaré el palo.

Y el palo dijo:

—Perdón, yo le pegaré al chivo.

Y el chivo dijo:

—Perdón, yo me comeré la yerba.

Y la yerba dijo:

—Perdón, yo te limpiaré el pico.

Y así lo hizo.

El gallito le dio las gracias a su amigo el sol
con un largo: —¡QUI-QUI-RI-QUÍ!

... y siguió su camino apuradito para
llegar a tiempo a la boda de su tío Perico.

Leyendas para contar

Cuando **Lucía M. González** era pequeña, y vivía en Cuba, escuchaba de boca de su tía abuela muchos de los cuentos que ella narra ahora. Lucía ha publicado esas leyendas y otros cuentos populares.

Lulu Delacre nació en Puerto Rico, en donde creció escuchando la canción nocturna del coquí. A Lulu le gusta ilustrar cuentos, en español y en inglés, que muestren su herencia hispana.

Conéctate Busca más información sobre Lucía y Lulu en **www.macmillanmh.com.**

✔ Propósito de la autora

La autora cuenta las historias que escuchaba en su infancia. Vuelve a contar uno de tus cuentos favoritos. Escribe el título y los nombres de los personajes principales.

⭐ Pensamiento crítico

Volver a contar

Usa las tarjetas para volver a contar el cuento.

Tarjetas
Cuéntalo otra vez

Pensar y comparar

Volver a contar	
1 →	2
3 →	4
5 →	6

1. ¿De qué manera el gallo y el sol funcionan como un equipo?

2. ¿Por qué aceptan todos los personajes del cuento hacer lo que el gallo les pedía?

3. ¿Conoces animales que formen buenos equipos? ¿De qué manera se comportan?

4. ¿En qué se parece la historia de *El gallo de bodas* a la de "El puma y el jabalí"?

Artes del lenguaje

Género
Un **cuento folclórico** suele enseñar algo instructivo.

Elementos literarios
La **repetición** es el modo en que algunas palabras u oraciones se usan una y otra vez en un texto.

Conéctate Busca más información sobre cuentos folclóricos en **www.macmillanmh.com**

148

La gallinita Rita

Cuento tradicional

Un día, la gallinita Rita estaba buscando semillas. Una bellota cayó de un árbol y golpeó a la gallinita en la cabeza.

—¡Qué horror! —dijo la gallinita—. El cielo se está cayendo. Tengo que avisar a la reina.

La gallinita comenzó a correr por el camino. Se encontró con el pato Tato.

—¿Adónde vas, gallinita Rita? —preguntó el pato Tato.

—¡El cielo se está cayendo! Tengo que avisar a la reina —contestó la gallinita.

—¡Qué horror! Yo también voy —dijo
el pato Tato.

Los dos se encontraron con el pavo Gustavo.

—¿Adónde van? —les preguntó el pavo.

—¡El cielo se está cayendo! Tenemos que avisar
a la reina —contestaron ellos.

—¡Qué horror! Yo también voy —dijo el pavo
Gustavo.

Por fin, los tres vieron a la reina.

—¡El cielo se está cayendo! —dijo la gallinita Rita.

La reina tomó la bellota.

—Esto es sólo una pequeña bellota —dijo la reina—. Del cielo sólo cae la lluvia. Váyanse a casa y no tengan miedo.

Y así los amigos se marcharon felices a casa.

✔ Pensamiento crítico

¿En qué se parece el cuento "La gallinita Rita" a *El gallo de bodas*? ¿En qué se diferencia?

Escritura

Preposiciones y conjunciones

Las **preposiciones** y **conjunciones** enlazan palabras u oraciones.

Ejemplo: *Ellos saltan* **y** *corren.*
Este libro es **de** *Juan* **y** *éste es mío.*

Escribe sobre equipos de animales

Samuel escribió sobre equipos de animales.

Algunos delfines trabajan

en equipo para buscar

su comida. Unos delfines juntan

a los peces y otros

los capturan.

Tu turno

Escribe un informe sobre animales que trabajen en equipo. Entrevista al veterinario de tu comunidad y usa otras fuentes de información para hacerlo.

Gramática y escritura

- Lee el informe de Samuel. Señala las **preposiciones** y las **conjunciones**. ¿Dónde podrías buscar más información sobre los delfines?

- Revisa tu informe. ¿Explica con claridad cómo se ayudan los animales? ¿Usaste **preposiciones** y **conjunciones**?

- Léele tu informe a un compañero o una compañera.

Repaso

Volver a contar
Personajes
  y ambiente
Rótulos
Leyenda

Mi perro Robin

A mi perro Robin le gusta jugar afuera. Un día de nieve, mi mamá le dio una pelota, y lo dejó salir.

Robin empezó a correr y a jugar con la pelota. Jugó mucho y la pasó muy bien. Hizo un agujero, echó la pelota adentro, y le puso nieve encima.

Todos los días, Robin enterraba pelotas en la nieve. Enterró algunas de mis pelotas. Enterró las pelotas de mis primos. En total, Robin enterró siete pelotas.

¿Cómo pudimos saber el número de pelotas que enterró Robin? Muy fácil. Al derretirse la nieve, pudimos ver cada una.

Tan altas como los árboles

Las jirafas son los mamíferos más altos. Sus largos cuellos y patas les ayudan a ser muy altas. Tienen crines y cuernos pequeños.

Las jirafas pueden alcanzar las alturas gracias a sus largos cuellos. Pueden comer las hojas en el tope de los árboles.

Las jirafas obtienen agua y alimento de las hojas.

Una jirafa macho puede alcanzar
diecinueve pies de altura.
Una jirafa hembra puede alcanzar
dieciséis pies de altura.
Al nacer, una jirafa bebé
tiene seis pies de altura.

Lee los rótulos que nombran algunas
de las partes de una jirafa. Nombra
más partes de las que ves.

crin

cuerno

cuello

pata

157

Estudio de las palabras

Palabras compuestas

- Lee las siguientes palabras compuestas. Busca qué palabras cortas las forman.

  sacapuntas   lavarropas   telaraña

- Haz un dibujo sobre cada palabra corta. Explica cómo esas palabras te ayudan a comprender las palabras compuestas.

 ## Comprensión

Cuento folclórico

- Vuelve a leer la página 128 de "El gallo de bodas".

- Comenta con un compañero el significado de la frase "Érase una vez…".

- Piensen en otros cuentos folclóricos o de hadas que empiecen así.

Escritura

¡A escribir cuentos!

- Escribe un cuento acerca de trabajar en equipo.

- Piensa en los personajes de tu cuento. ¿Serán personas o animales?

- Piensa en el problema que los personajes deberán enfrentar. Cuenta el problema al principio de tu cuento.

- Piensa cómo los personajes intentarán resolver el problema. Cuenta esto en el desarrollo de tu cuento.

- Piensa cómo se solucionará el problema. Cuenta esto al final de tu cuento.

- ¡Lee tu cuento a la clase!

 Conéctate StudentWorks Plus **Libro interactivo del estudiante**
Actividades interactivas de lecto-escritura www.macmillanmh.com

159

Glosario

¿Qué es un glosario?

Un glosario te ayuda a conocer el significado de las palabras. Las palabras están listadas en orden alfabético. Puedes buscar una palabra y leer una oración con esa palabra. A veces, también hay una ilustración.

miel

difícil

Ejemplo de entrada

Letra

Entrada

Oración

Cc
contestó

La maestra **contestó** las preguntas de los niños.

avión

Aa

avión

Un **avión** vuela muy rápidamente.

arriba

El sol brilla **arriba** en el cielo.

Cc

cambiar

Las hojas comienzan a **cambiar** de color en el otoño.

cielo

Hay nubes en el **cielo**.

comerse

Juan va a **comerse** toda su ensalada.

comprar

Voy con mi mamá a **comprar** frutas al mercado.

contestó

La maestra **contestó** las preguntas de los niños.

Dd

difícil

Es **difícil** pararse en un solo pie.

Ee

érase

Muchos cuentos empiezan así: "**Érase** una vez...".

Ff

frío

El hielo es muy **frío**.

fuerte

La niña se alimenta bien para ser **fuerte**.

Gg

gran

El 4 de julio vemos un **gran** espectáculo de fuegos artificiales.

Ii

inventaron

Los hermanos Wright **inventaron** el primer avión.

THE FATHERS OF AVIATION

Mm

madre

Mi **madre** y yo vamos al cine todos los domingos.

maduro

Me gusta un fruto **maduro**.

máquina

Mi tía tiene una **máquina** de coser.

mejor

Mi hermano es mi **mejor** amigo.

miel

La **miel** es muy dulce.

mismo

A ti y a mí nos gusta el **mismo** equipo de fútbol.

montaña

El Everest es la **montaña** más alta del mundo.

moverse

La veleta necesita del viento para **moverse**.

mudarse

Mi vecino va a **mudarse** a otro país.

Nn

nieve

La **nieve** cae del cielo.

Oo

obrera

La abeja **obrera** produce la miel.

Pp

padre

Mi **padre** cocina muy bien.

Rr

reina

La abeja **reina** pone los huevos.

ríen

Los niños se **ríen** felices.

Ss

siempre

Siempre visito a mis abuelos en el verano.

siente

Un hielo se **siente** frío al tocarlo.

siete

Hay **siete** días en una semana.

Tt

tremendo

El trueno produce un ruido **tremendo**.

Vv

vio

El gato **vio** al perro.

vivía

Yo **vivía** en una casa roja.

volar

Algunos pájaros pueden **volar** muy alto.

vuela

Lisa **vuela** su papalote.

veloz

El guepardo es el animal más **veloz** de la Tierra.

Acknowledgments

The publisher gratefully acknowledges permission to reprint the following copyrighted material:

UNO Y SIETE by Gianni Rodari. Copyright © 2001 Ediciones SM. Reprinted with permission of Ediciones SM, Madrid, Spain.

TITO Y RON (EL VIENTITO Y EL VENTARRÓN) by Rosa María Bedoya. Text copyright © 2004 by Rosa María Bedoya, illustrations copyright © 2004 by Vania Salcedo. Reprinted with permission of Grupo Santillana, Lima, Perú.

LA GRAN MONTAÑA by José Antonio Delgado. Text copyright © 2006 by José Antonio Delgado, illustrations copyright © 2006 by Ana C. Palmero. Reprinted with permission of Ediciones Ekaré, Venezuela.

EL GALLO DE BODAS by Lucía M. González. Text copyright © 1994 by Lucía M. González, illustrations copyright © by Lulu Delacre. Reprinted with permission of Scholastic, Inc.

Book Cover, LOS TRASPIÉS DE ALICIA PAF by Gianni Rodari. Copyright © 2005 by Anaya Infantil y Juvenil. Reprinted with permission of Anaya Infantil y Juvenil.

Book Cover, CUENTOS ESCRITOS A MÁQUINA by Gianni Rodari. Copyright © 2003 by Alfaguara. Reprinted with permission of Alfaguara.

Book Cover, CUENTOS PARA GATOS by Mercedes Franco. Copyright © 2001 by Playco Editores Publicaciones. Reprinted with permission of Playco Editores Publicaciones.

ILLUSTRATIONS

Cover: Pablo Bernasconi.

12-13: Ronnie Rooney. 14-31: Beatrice Alemagna. 42-43: Jamie Smith. 44-59: Vania Salcedo. 62-63: Nora Hilb. 84-85: Valeria Cis. 86-111: Carmen Salvador. 124-125: Carly Castillon. 126-145: Lulu Delacre. 148-151: Diane Schoenbrun. 154-159: Jannie Ho.

PHOTOGRAPHY

All Photographs are by Macmillan/McGraw-Hill (MMH) except as noted below:

6-7: (bkgd) Roy Botterell/Corbis. 8: (bl) Blend/Punchstock. 9: (br) Mike Powell/Allsport/Getty Images. 10-11: (bkgd) Jim Cummins/Getty Images. 34: (br) Robert C. Hermes / Photo Researchers, Inc. 35: (cl) Jan Rietz/Getty Images; (t) Ted Horowitz/Corbis. 36: (b) John B Free/Nature Picture Library. 37: (t) Papilio / Alamy. 38: (cr) Artiga/Masterfile. 39: (tr) Eyewire/PunchStock. 40-41: (bkgd) Walter Hodges/Getty Images, Inc. 64: (cr) Juice Images/Alamy; (tr) Courtesy of Phillip Dray. 65: (c) Photodisc/Alamy. 66-67: (bkgd) ©Larry Bones/age fotostock. 84-85: (bkgd) Image 100/Alamy. 116: (br) Underwood & Underwood/CORBIS. 117: (t) Underwood & Underwood/CORBIS. 118: (t) CORBIS. 119: (b) National Archives/Handout/Getty Images. 120: (t) CORBIS; (tr) Darren Greenwood/Alamy. 121: (cl) Photodisc/Getty Images; (c) Photodisc/Getty Images; (cr) Photodisc/Getty Images; (cl) Digital Vision/Getty Images; (c) PhotoLink/Getty Images; (cr) Digital Vision/Getty Images. 122-123: (bkgd) Tui de Roy/ Minden Pictures. 152: (cr) Iconica/Getty Images. 153: (tr) G.K. & Vicki Hart/Getty Images. 156: (l) Anup Shah/Getty Images. 157: (b) BIRGIT KOCH / Animals Animals. 160: (bl) Ken Cavanagh for MMH; (cr) Digital Vision/Punchstock. 161: (c) BananaStock/ Alamy; (bl) imageshop - zefa visual media uk ltd / Alamy. 162: (tc) imageshop - zefa visual media uk ltd / Alamy; (bc) ©Brand X Pictures/PunchStock. 163: (tc) ©Royalty-Free/CORBIS; (bc) BananaStock/Alamy. 164: (tr) Ken Cavanagh for MMH; (bc) Marie Read/ Animals Animals/Earth Scenes. 165: (c) Dynamic Graphics Group/Creatas/Alamy; (bc) Mary Evans Picture Library. 166: (c) ©Tim Ridley/Dorling Kindersley/Getty Images; (bc) Digital Vision/Punchstock. 167: (tc) ©imagebroker / Alamy; (bc) © Jim Sugar/CORBIS. 168: (tc) Image Source/ Getty Images, Inc.; (bc) ©BRIAN ELLIOTT / Alamy. 169: (bc) ©Creatas / PunchStock; (tc) ©Raul Gonzalez Perez / Photo Researchers, Inc. 170: (bc) Helga Lade/Peter Arnold. 171: (c) © Blend Images / SuperStock; (b) © DLILLC/Corbis.